afge

buurvrouw Erica

Lot

Frankie

Tamara Bos

Bang voor de buurvrouw

met tekeningen van
Gertie Jaquet

Op de cd staat een korte leesinstructie bij dit boek.
Daarna leest de auteur het eerste hoofdstuk voor.
Kijk op de cd welk nummer bij dit boek hoort.

Achter in het boek zijn leestips opgenomen voor ouders.

LEES N!VEAU

		ME	ME	ME	ME	ME		
AVI	S	3	4	5	6	7		P
CLIB	S	3	4	5	6	7	8	P

oorlog

Toegekend door Cito i.s.m. KPC Groep

1e druk 2009

ISBN 978.90.487.0393.7
NUR 286/282

© 2009 Tekst: Tamara Bos
·Illustraties: Gertie Jaquet
Leestips: Marion van der Meulen
Vormgeving: Natascha Frensch
Typografie Read Regular: copyright © Natascha Frensch 2001 – 2006
Uitgeverij Zwijsen B.V., Tilburg

Voor België: Uitgeverij Zwijsen.be, Antwerpen
D/2009/1919/295

Inhoud

1. Nieuwe buren?   5

2. Een onderwerp   9

3. Help!   13

4. Wat is er aan de hand?   16

5. Een heks?   21

6. Sorry   25

7. Buurvrouw Erica vertelt   27

8. Echt gebeurd *(het verhaal van Erica)*   30

9. Echt gebeurd *(het verhaal van Erica 2)*   32

10. Een kunsthand   35

11. Een onderwerp!   39

12. De spreekbeurt   42

1. Nieuwe buren?

Lot ligt op haar buik in het gras.
Ze gluurt tussen de blaadjes van de heg door.
Er is beweging in het huis van de buren.
Heel lang woonde er niemand.
Het huis stond leeg.
Maar vandaag komen er nieuwe buren.
Lot weet het zeker.
Die verhuiswagen staat niet voor niks op het grindpad.
Lot kruipt verder over het gras.
Ze wil niet gezien worden.
Maar zelf wel alles zien.

Lot is nieuwsgierig naar de nieuwe buren.
Wat voor mensen zouden het zijn?
Hopelijk hebben ze kinderen.
Misschien wel een knappe buurjongen om stiekem naar
te gluren.
Lot bloost bij de gedachte.
Of een buurmeisje om mee te spelen, dat zou ook leuk
zijn.
Dan moet ze wel 9 jaar zijn, net als zij.
En dat ze dan **hartsvriendinnen** worden.
Lot glimlacht bij het idee.
Maar dan kijkt ze weer ernstig.
Zulke dingen gebeuren alleen in boeken of in films.

Wij zullen wel weer een oude opa als buurman krijgen,
denkt Lot.

Lot zucht.
Eigenlijk ligt ze helemaal niet lekker, zo op dat koude
gras.
Ze moet ook eens aan haar huiswerk beginnen.
Ze heeft nog steeds geen onderwerp voor haar
spreekbeurt.
En de meester wil het deze week weten.
Lot komt overeind.
Ze wil naar binnen gaan.
Maar dan ziet ze iets.
Er komt iemand uit het buurhuis lopen.
Het is een vrouw.
Dat is vast de moeder, denkt Lot.
Maar als de vrouw dichterbij komt, ziet Lot dat ze al oud
is.
Veel te oud om moeder te zijn.
Ze lijkt meer op een oma.

De mevrouw heeft iets in haar armen.
Iets pluizigs.
Lot knijpt haar ogen samen.
Wat is dat?
De vrouw zet het pluizige geval op de grond.
'Wraf, wraaaf!'
Het is een hondje!

Luid blaffend komt het dier op de heg af stormen.

Lot springt achteruit.

Haar hart slaat ervan over.

Waarom schrikt ze zich nou dood van zo'n stom beest?

Lot begint te giechelen.

'Frankie, Frankie hier!'

Frankie luistert niet zo goed.

Hij blijft staan blaffen.

De mevrouw komt met boze stappen op hem af lopen.

Ze pakt Frankie bij zijn halsband.

Lot maakt zich klein, maar de mevrouw ziet haar staan.

'Hallo daar,' zegt ze, terwijl ze door de heg kijkt.

'Hallo,' zegt Lot.

'Ik ben Lot.'

Ze steekt haar hand door de heg.

Maar de mevrouw pakt haar hand niet aan.

Ze knikt alleen maar.

'Mevrouw De Vries,' zegt ze.

Lot voelt een rilling over haar rug lopen.

Ze weet niet waarom.

Maar er is iets raars met die mevrouw De Vries.

2. Een onderwerp

'Tijgers, of **reptielen**.'
Meester Jaap kijkt Lot onderzoekend aan.
'Dat zijn toch mooie onderwerpen voor een spreekbeurt?'
Lot knikt.
Ze vindt er eigenlijk niks aan, maar dat kan ze niet zeggen.
Dan wordt meester Jaap weer knorrig.
En dan gaat hij zeggen dat ze een puber is.
Nou, dat is ze nog lang niet.
Ze houdt alleen niet van tijgers, en zeker niet van **reptielen**.
'De Romeinen, de Grieken, de Hunnen,' gaat de meester door.
Lot kijkt even naar Willem.
Die zit naast haar blij te wezen.
Omdat hij allang weet waar hij zijn spreekbeurt over gaat doen.
Over vulkanen.
Ook zoiets stoms, maar Willem vindt het 'interessant'.

Lot zucht.
Ze tekent bloemetjes in haar schrift.
'Volgende week wil ik het weten, dame.'
Meester Jaap kijkt haar streng aan.

'En als je het dan nog niet weet ...'

Ja, wat dan? denkt Lot.

Ze kijkt de meester brutaal aan.

'... dan bedenk ik een onderwerp,' zegt meester Jaap.

'Je houdt toch van verhalen over vroeger?'

Lot haalt haar schouders op.

'Een beetje.'

'Goed,' zegt meester Jaap dreigend.

'Dan wordt jouw onderwerp ... de **Vikingen**!'

O nee, dat nooit!

Lot zou wel willen gillen.

Ze gaat echt geen spreekbeurt over **Vikingen** houden.

Ze is geen **nerd**.

Meester Jaap kijkt lachend naar haar zure gezicht.

'Zorg er dan maar voor dat je zelf iets beters bedenkt,' zegt hij.

Lot zegt niks.

Ze is blij dat de bel gaat.

'De **Vikingen** waren een spannend volk, hoor,' zegt Willem.

Hij fietst vrolijk met Lot mee.

Lot stopt met lopen.

Ze kijkt Willem **kribbig** aan.

'Ik ga mijn spreekbeurt niet over Vikingen doen!' snauwt ze.

'Ik wil een echt onderwerp.

Iets wat belangrijk is om te weten.'

Willem kijkt haar geschrokken aan.

'Sorry,' zegt hij, 'ik wist niet dat je kwaad werd.'

En hij fietst hard weg.

'Ga maar lekker lezen over vulkanen,' roept Lot hem gemeen na.

Meteen heeft ze spijt.

Waarom doet ze nou zo **kribbig**?

Willem is hartstikke aardig.

En knap.

En het is een jongen.

Jongens houden nou eenmaal van Vikingen.

En van vulkanen.

Lot is nu vlak bij haar huis.

Eerst moet ze nog langs het huis van de nieuwe buurvrouw.

Zou ze thuis zijn, mevrouw De Vries?

Lots hart gaat sneller kloppen.

Waarom toch?

'Wraf, wraaaf!'

O nee, schrikt ze zich weer een ongeluk van dat rotbeest.

'Weg Frankie,' sist Lot, 'weg.'

Maar Frankie gaat niet weg.

Hij loopt achter de heg mee met Lot.

Gelukkig is het hek dicht en kan hij haar niks doen.

Zo snel ze kan, holt Lot naar huis.

Vlug gooit Lot de keukendeur open.

'Mam, ik ben thuis!' roept ze.

Ze wil haar moeder om de nek vallen.

Maar ... is dat wel haar moeder die daar de ketel op het fornuis zet?

Lots hart lijkt even stil te staan.

En haar voeten ook.

Ze kan geen woord meer uitbrengen.

Dat rood geverfde haar.

En die handen in witte handschoentjes.

Dat is ...

De vrouw draait zich om van het fornuis.

Lot weet niet wat ze ziet.

Het is mevrouw De Vries.

'Dag Lot,' zegt ze.

'Wil je een kopje thee?'

3. Help!

Lot zit aan de keukentafel.
Ze kijkt met grote ogen naar de nieuwe buurvrouw.
Die is druk bezig met de thee.
Lot snapt er helemaal niks van.
Wat doet dat mens opeens hier?
Waarom is ze in haar huis?
En waar is mama?
Misschien is ze wel ontvoerd.
Of misschien nog wel iets veel ergers ...
Lot voelt de tranen achter haar ogen branden.

'Zo, de thee is bijna klaar.'
Mevrouw De Vries zet de theeglazen op tafel.
'Jij weet vast wel of jullie koekjes hebben,' lacht ze.
Lot knikt.
Ze wijst met een trillende vinger naar de keukenkast.
'Op de bovenste plank, mevrouw.'
'Mevrouw?'
De buurvrouw lacht hardop.
Het lijkt wel alsof ze Lot een beetje uitlacht.
'Ik ben toch geen mevrouw!'
Lot zegt niks.
Oude mensen zijn altijd een mevrouw.
Dat zegt mama tenminste.
'Zeg maar Erica, hoor,' zegt de buurvrouw vriendelijk.

Dan begint de fluitketel te fluiten.
Buurvrouw Erica gaat er snel naartoe.

Het is stil in de keuken.
Lot weet niet zo goed wat ze moet doen.
En ze durft ook niks te zeggen.
Dan verzamelt ze al haar moed.
'Mevrouw ... eh ... Erica, weet u waar mijn moeder is?'
'Hahaha.'
Buurvrouw Erica begint weer te lachen.
Lot vindt het vervelend.
De buurvrouw ziet het niet.
Ze droogt haar lachtranen aan de theedoek.
'Had ik dat niet gezegd?
Je moeder had opeens een vergadering.
Je oma kon niet.
De oppas kon niet, dus toen vroeg ze mij.'
Buurvrouw Erica kijkt vriendelijk.
'En ik kon wel.'

Lot glimlacht.
Gelukkig, er is niks met mama aan de hand.
'Thee?'
Lot knikt opgelucht.
Ze kijkt hoe buurvrouw Erica water in de theepot
schenkt.
En naar de hand waarmee ze de theepot vasthoudt.
Die hand zit in een wit handschoentje.

Dat is gek.

De buurvrouw houdt haar handschoenen aan in huis.

En het is buiten heerlijk weer.

'Hebt u het koud?' vraagt Lot.

Buurvrouw Erica schrikt van deze vraag.

Haar wangen worden er rood van.

Ze wrijft met haar linkerhand over haar rechterhand.

'Nee hoor,' zegt ze, 'ik heb het niet koud.'

Ze loopt terug naar het aanrecht om de theepot neer te zetten.

Er klopt iets niet, denkt Lot.

Er is iets heel raars met de buurvrouw.

4. Wat is er aan de hand?

Lot komt het huis uit met haar rugzak op haar rug.
'Wraf, wraf!'
Frankie rent aan de andere kant van de heg blaffend met
haar mee.
Lot lacht erom.
'Je kunt me lekker toch niet pakken,' zegt ze plagend.
Lot loopt langs de tuin van de buurvrouw.
Buurvrouw Erica staat voor het raam.
Ze doet de gordijnen open.
Lot zwaait naar haar.
Buurvrouw Erica zwaait terug.

Lot denkt na.
Het was eigenlijk best gezellig gisteren.
Na de thee had de buurvrouw Lot geholpen met haar
topo.
Dat was heel aardig.
En handig, want de buurvrouw had goede tips.
Zodat het makkelijker was om al die stomme plaatsen te
onthouden.
Zoals Winterswijk.
Dat ligt vlak bij Duitsland.
Daar rijd je doorheen als je op wintersport gaat.
Winterswijk – wintersport.
Dat is makkelijk.

Lot krijgt een glimlach op haar gezicht als ze eraan
terugdenkt.
Maar toch is er iets geks met buurvrouw Erica.
Wat is er toch aan de hand met haar?

Het is gezellig in de klas.
Meester Jaap is vrolijk.
En de **topo** is niet moeilijk.
Lot lacht als ze Winterswijk moet invullen.
'Bedankt Erica,' fluistert ze zacht.
'Wat zei je?' vraagt meester Jaap.
'Niks,' zegt Lot met een blij gezicht.
Meester Jaap lacht.
'Volgens mij heb jij het goed geleerd, dame.'
Lot knikt alleen maar.
'Nu nog een goed onderwerp voor je spreekbeurt.'
Lot kijkt de meester boos aan.
Ze is niet echt boos.
Lot kijkt net alsof ze boos is.
De meester geeft haar een knipoog.
'Dan ben ik helemaal blij met je,' lacht hij.

De school is uit.
Lot komt vrolijk naar buiten hollen.
Ze ziet Willem bij het fietsenrek staan.
Misschien heeft hij wel zin om te spelen.
Zal ze het vragen?
Of is dat stom?

Voorzichtig loopt ze op hem af.

'Hoe ging je **topo**?'

Willem draait zich om.

Hij lacht als hij Lot ziet.

'Wel goed, en bij jou?'

'Ook goed,' lacht Lot.

'Hartstikke goed.'

'Dacht ik al,' zegt Willem.

'Anders zou je het niet vragen.'

Lot voelt dat haar wangen rood worden.

Zo bedoelde ze het helemaal niet.

'Spelen?' vraagt ze.

Willem haalt zijn schouders op.

'Wat wil je dan doen?'

Lot denkt snel na.

Willem wil vast geen SIMS doen op de computer.

En **skaten** vindt hij misschien ook niet leuk.

Willem stapt op zijn fiets.

'Ik heb een nieuwe buurvrouw,' zegt Lot vlug.

'Een ontzettend rare.'

Willem kijkt Lot nieuwsgierig aan.

'Hoezo raar?'

Lot haalt haar schouders op.

'Ze heeft iets heel engs, maar ik weet niet wat.'

'Laten we haar bespioneren,' zegt Willem.

'Oké,' zegt Lot.

Ze weet niet wat daar leuk aan is, maar als hij het wil ...

'Alsof we speciale agenten zijn,' verzint Willem verder.

Willem lacht.

Dat vindt hij een leuk idee.

'Spring maar achterop,' zegt hij.

Lot knikt koel.

Maar vanbinnen vindt ze het leuk dat Willem met haar meegaat.

Heel erg leuk zelfs.

Hoeoe, dat gaat lekker hard!

Willem fietst heel hard.

Lot krijgt er kriebels van in haar buik.

Of komt dat omdat Willem zo'n leuke jongen is?

Niet aan denken, denkt Lot.

Anders word ik nog zenuwachtig.

Ze zijn in de straat van Lot.

Ze hoort Frankie al blaffen.

Lot lacht.

'Dat is de hond van de buurvrouw,' zegt ze.

'Van je nieuwe buurvrouw?' vraagt Willem.

'Ja,' roept Lot stoer.

'Van die ontzettend rare oude heks.'

5. Een heks?

Lot en Willem zijn in de tuin.
Ze hebben eerst thee gedronken met mama.
Mama vond Willem ook leuk.
Dat kon Lot aan haar ogen zien.
En aan de knipoog die ze haar stiekem gaf.
Nu proberen Lot en Willem in de boom te klimmen.
Lot kan het makkelijk.
Ze zit al bovenin.
Willem vindt het moeilijker.
Na veel gepuf en gehijg zit hij op de onderste tak.
Lot moet er een beetje om lachen.
Maar dat vindt Willem niet leuk.
Daarom wijst ze snel naar het huis van buurvrouw Erica.
'Daar,' fluistert ze, 'daar is ze.'

Buurvrouw Erica is bezig bij de heg.
Ze spit de aarde om.
Frankie **drentelt** om haar heen.
Hij hapt naar de aarde en hij blaft.
'Stop Frankie,' zegt de buurvrouw.
'Stoppen!'
Maar Frankie stopt niet.
Buurvrouw Erica pakt hem bij zijn halsband en trekt hem
mee het huis in.
Ze doet vlug de deur dicht.

De buurvrouw loopt terug.

Ze heeft zakjes met bollen in haar handen.

Bollen worden in het voorjaar bloemen.

Krokussen en narcissen.

Dat weet Lot wel.

Buurvrouw Erica zit op de grond.

Met haar hand probeert ze het zakje bollen open te trekken.

Het lukt niet goed.

Daarom pakt ze de snoeischaar.

Lot kijkt naar Willem.

'Rare buurvrouw, hè?' fluistert ze.

Willem haalt zijn schouders op.

Zo raar vindt hij haar helemaal niet.

Jammer, Lot wil graag indruk op hem maken.

'Wat zou ze daar begraven?' vraagt Willem.

Lot haalt haar schouders op.

Ze zegt niks over de bloembollen.

Dat is veel te gewoon.

'Misschien wel een schat.'

'Of ze spaart daar padden,' zegt Willem ernstig.

'Kijk naar die hand,' zegt Lot.

'Die met de schaar.'

Willem knijpt zijn ogen tot kleine spleetjes.

Nu ziet hij het ook.

Er is iets geks met die hand.

Hij is onhandig en stijf.

Lot laat zich uit de boom glijden.

'Kom,' zegt ze.

'Je moet het van dichterbij zien.'

Willem en Lot liggen op hun buik naast de heg.

Ze gluren naar buurvrouw Erica.

Die is aan de andere kant van de heg aan het werk.

Ze heeft niks door.

'Ze heeft niet alleen de hand van een heks,' fluistert
Willem.

'Ze heeft ook de neus van een heks.

Zie je die puist?'

Lot moet giechelen om Willem.

Het is eigenlijk heel flauw wat hij zegt.

Maar omdat hij het zegt, vindt Lot het leuk.

'Hé heks,' fluistert Willem, 'mevrouw de heks.'

Lot stopt met lachen.

Ze vindt het niet leuk meer, maar Willem gaat gewoon
door.

'Heksje ...'

Lot geeft hem een duw: 'Ssst.'

Willem moet erom lachen.

'Heks, heks, heks met je heksenhand!' zegt hij.

'Hou op, straks ziet ze ons.'

'Lot?'

Buurvrouw Erica kijkt door de heg heen.

Ze kijkt Lot recht in haar ogen.

Lot staat stijf van schrik.
Ze weet niet wat ze moet zeggen.
Willem pakt haar hand en trekt haar mee, weg van de
heg.
Om de hoek van het huis barst hij in lachen uit.
Lot lacht niet meer.
Ze ziet steeds het verdrietige gezicht van buurvrouw
Erica voor zich.

6. Sorry

Lot ligt in bed; het is al laat.

Ze hoort allang te slapen, maar het lukt niet.

Ze ligt te woelen en te draaien.

Dat komt doordat ze zich schaamt.

Het was niet aardig om naar buurvrouw Erica te gluren.

Ze is helemaal geen heks, dat slaat natuurlijk nergens op.

Lot wilde gewoon stoer doen voor Willem.

Steeds als ze bijna in slaap valt, ziet ze buurvrouw Erica voor zich.

En hoe verdrietig ze haar aankeek.

Ik moet het goed maken, denkt Lot.

Uit het kastje naast haar bed pakt ze pen en papier.

Sorry schrijft Lot op het papier.

Sorry dat we zo flauw deden.

Groetjes van Lot (van de buren).

Lot leest het briefje en knikt tevreden.

Morgen zal ze het briefje bij de buurvrouw in de bus doen.

Lot gaapt.

Ze voelt nu pas hoe moe ze is.

Opgelucht draait ze zich op haar zij.

Nu kan ze eindelijk slapen.

Het is nog vroeg, maar Lot is al aangekleed.

Papa weet niet wat hij ziet, als ze de keuken binnenkomt.

'Je weet dat het zaterdag is?' zegt hij grappig.

Lot steekt haar tong uit.

Dat weet ze heus wel.

'Hé, je bent nog veel te jong om te puberen,' lacht papa.

Lot zegt niks.

Ze trekt haar jas aan.

'Ik ga even naar buiten,' zegt ze.

Lot loopt naar het hekje van buurvrouw Erica.

Heel voorzichtig doet ze het open.

Het maakt een piepend geluid.

Normaal is dat niet erg.

Maar op een stille ochtend klinkt het heel hard.

Lot blijft geschrokken staan.

Ze tuurt naar het huis van de buurvrouw.

De gordijnen zijn nog dicht.

Op haar tenen sluipt Lot naar de voordeur.

Ze is er bijna.

Het is heel stil in het huis.

Frankie heeft nog niks gemerkt.

Met trillende vingers opent Lot het klepje van de
brievenbus.

Zo kalm mogelijk duwt ze het briefje door de gleuf.

'WRAF, WRAAAF!'

Frankie staat aan de andere kant van de deur te blaffen.

Lot laat het klepje vallen.

Ze holt hard weg.

Zo hard dat ze de kruiwagen niet ziet staan.

Knal, boink, met een grote smak valt Lot op de grond.

Haar handen schuren over het tegelpad.

7. Buurvrouw Erica vertelt

'Au, au!'
Lot ligt languit op het pad van de buurvrouw.
Haar handen branden van de pijn.
Ze zou keihard kunnen huilen.
Maar ze heeft geen tijd.
Lot krabbelt overeind.
Ze moet weg hier, voordat ...
'Lot?'
Lot draait zich om.
Achter haar staat buurvrouw Erica.
Ze heeft Lots briefje in haar hand.
Ze kijkt met lieve ogen naar Lot.
'Heb je je pijn gedaan?'
Lot knikt met een beteuterd gezicht.
'Kom maar even binnen,' zegt de buurvrouw.
'Dan doen we er een pleister op.'

Lot zit op de keukenstoel.
Buurvrouw Erica heeft de pleisters gepakt.
En de **jodium**.
Heel voorzichtig strijkt ze met een watje over Lots
gewonde handen.
Het doet pijn.
Lot wil niet huilen.
Toch rollen de tranen over haar wangen.

Lot bijt op haar lip om de pijn niet te voelen.

Lot kijkt hoe buurvrouw Erica de pleister op haar handen plakt.

Wat is er toch met de hand van buurvrouw Erica?

Het is alsof de buurvrouw Lots gedachten kan raden.

Ze kijkt Lot recht in haar ogen.

En ze houdt haar rechterhand omhoog.

'Je wilt weten wat dit is, hè?'

Lot voelt het bloed naar haar wangen stromen.

Ze voelt zich betrapt.

'Dit,' zegt buurvrouw Erica en ze kijkt naar haar hand.

'Dit heb ik gekregen in de oorlog.'

Lot en buurvrouw Erica zitten op de bank.

Lot is even naar huis geweest.

Om papa te vertellen dat ze bij de buurvrouw is.

En nu zitten ze samen op de bank.

Buurvrouw Erica wil Lot iets vertellen.

Een verhaal over haar leven.

Lot vindt het spannend.

Nu zal ze eindelijk weten wat er is.

En wat er met haar hand is, denkt Lot.

'Mijn verhaal begint in 1936,' vertelt buurvrouw Erica.

Lot kijkt serieus.

'Toen was het toch nog geen oorlog?' zegt ze.

Buurvrouw Erica knikt.

'Die kwam later.

Luister maar, dan vertel ik je mijn verhaal.'

8. Echt gebeurd *(het verhaal van Erica)*

Erica vertelt.
'Ik werd in 1936 geboren in Rotterdam.
We woonden in de Zomerhofstraat.
Dat was vlak bij het centrum van de stad.
Ik weet er niet veel meer van.
Alleen wel dat we boven woonden.
Op de derde verdieping.
We moesten altijd veel trappen lopen, dat weet ik nog
heel goed.
Soms was dat erg zwaar.
Vooral als je moe was van het buitenspelen.
Ik had een grote broer die vier jaar ouder was.
Hij heette Frits.
Hij was zoals een grote broer hoort te zijn.
Als kinderen op straat me pestten, nam hij het voor me op.
Maar thuis kon hij me ook goed plagen.
Zoals de meeste grote broers.
Ons huis was niet groot.
We hadden een woonkamer en twee slaapkamers.
Daarom deelde ik een kamer met mijn broer.
In mei 1940 was ik 3 jaar.
In de zomer zou ik 4 worden.
Dan zou ik naar de kleuterschool gaan op de Berkelselaan.
Mijn broer Frits had ook op die school gezeten.
In de nacht van 10 mei werden we wakker van

geschreeuw.

Mijn broer holde naar het raam en deed de gordijnen open.

De buurman stond op straat.

Hij schreeuwde dat het oorlog was.

Mijn vader kwam onze kamer binnen stormen.

"Wat is er, wat is er aan de hand?" riep hij.

"Het is oorlog," zei mijn broer.

Ik weet niet of ik moest huilen.

Ik weet alleen dat ik rechtop in mijn bed zat.

Stijf van schrik.

En toen hoorden we een keihard geluid.

Een vliegtuig vloog laag over.

"Een Duitser, het is een Duitser!" riep mijn vader.

En hij trok mijn broer bij het raam vandaan.

Ook mijn moeder was nu de kamer in gekomen.

Ze tilde me uit bed en hield me stevig tegen zich aan.

Zo stonden we te wachten op de dingen die komen
zouden.

Toen het een tijd rustig was, gingen we naar buiten.

Daar stonden onze buren op straat.

De meesten waren ook in hun pyjama of nachtpon.

Alle buurmannen stonden bij elkaar te praten en te roken.

En alle buurvrouwen stonden ook bij elkaar.

Sommige huilden.

Wij kinderen wisten niet goed wat we moesten doen.

Het was eng en spannend tegelijk.

Maar toen wisten we nog niet wat er voor ergs zou
gebeuren.

9. Echt gebeurd *(het verhaal van Erica 2)*

Het was vier dagen later, 14 mei 1940.
Het was een mooie, zonnige dag.
Ik speelde op het balkon.
Mijn moeder maakte soep in de keuken.
Het leek een heel gewone dag.
Maar dat was het niet.
Het was al een paar dagen oorlog.
Duitsland had Nederland **de oorlog verklaard**.

Duitse soldaten liepen door de straten.

Mijn vader was de vorige dag bijna neergeschoten op straat.

Hij was vandaag niet naar zijn werk gegaan.

Ook mijn broer Frits was thuis.

Rond de school werd gevochten.

Het was net één uur geweest.

We zaten aan tafel.

Toen begon het.

Er klonk een **geraas** dat steeds dichterbij kwam.

Geschrokken stonden we op van tafel.

Mijn broertje deed de balkondeuren open.

Dat had hij beter niet kunnen doen.

Een enorm lawaai kwam de kamer binnen.

En toen zagen we ze.

Heel grote, zware vliegtuigen.

Het waren Duitse vliegtuigen.

Vliegtuigen met bommen.

Mijn vader deed de balkondeuren dicht.

Hij gooide de tafel op zijn kant.

Zodat we ons erachter konden verschuilen.

Vlakbij klonk een enorme knal.

En nóg een.

Het plafond begon te barsten.

Grote stukken steen vielen naar beneden.

Mijn moeder begon te gillen.

Ze duwde me onder de bank om te schuilen.

Ze probeerde er zelf bij te kruipen, maar dat lukte niet.

Weer een knal.

Het glas sprong uit de ramen.

"Komen!" schreeuwde mijn vader.

"Naar beneden, snel."

Mijn moeder trok me onder de bank vandaan.

Ik stootte mijn hoofd, maar ik durfde niet te huilen.

Mijn ouders waren echt bang.

Dat zag ik wel, zo klein als ik was.

We haastten ons alle trappen af.

Mijn broer Frits voorop.

Beneden in het huis was een ruimte onder de trap.

Daar werden de kolen en de aardappelen bewaard.

Daar wilde mijn vader gaan zitten.

Want dat werd overal gezegd.

Bij een **bombardement** moet je schuilen onder de trap.

Doodsbang zaten we op de grond.

Frits en ik schuilden onder onze ouders.

Ze probeerden ons met hun lichamen te beschermen.

We zaten er nog maar net toen de bom vlakbij insloeg.

Ik herinner me een grote knal.

Fel licht.

En het **geraas** van vallende stenen.

Mijn moeder die gilde.

En mijn arm die onder het bloed zat.

En mijn hand.

Mijn rechterhand was weg.'

10. Een kunsthand

Lot kijkt met grote ogen naar buurvrouw Erica.
Wat een erg verhaal.
'Is dat allemaal echt gebeurd?'
Buurvrouw Erica kijkt Lot met een serieus gezicht aan.
Ze knikt.
Met haar linkerhand strijkt ze over haar rechterhand.
Lot kijkt naar de schaafwonden op haar hand.
Dat is niks vergeleken bij een bom.
Ze schaamt zich een beetje om haar tranen van net.
'Deed het niet heel veel pijn?'
Buurvrouw Erica knikt.
'Maar soms, als de pijn zo erg is, voel je hem niet meer.
Dan zet je lichaam de pijn uit.
Dat is handig.
Gelukkig was mijn vader zo slim om mijn arm af te binden.
Met de riem uit de broek van Frits.'
Buurvrouw Erica glimlacht.
'Anders had ik kunnen doodbloeden.'
Lot knikt met een ernstig gezicht.
Gelukkig is dat niet gebeurd.
'Toen het weer rustig werd, zijn we naar het ziekenhuis
gegaan.
Onderweg kwamen we langs kapotte huizen en
brandende auto's.
We zagen mensen met koffers.

Mensen zonder kleren.
We waren zo blij toen we het ziekenhuis zagen.
Het was niet kapotgeschoten.

De dokters hebben hun uiterste best gedaan.
En mijn arm dichtgenaaid.
Het duurde weken voor de wond dicht was.
Toen zijn we weggegaan.
Ons huis was verwoest, dus daar konden we niet heen.
We zijn weggegaan uit Rotterdam en verhuisd naar
Groningen.
Na de oorlog kreeg ik mijn eerste **kunsthand**.
Die was van hout.
Daar kon ik niks mee.

Om de zoveel tijd kreeg ik een betere **kunsthand**.
Nu heb ik deze hand alweer een tijdje.'
Buurvrouw Erica pakt de vingers van haar handschoen
beet.
Heel voorzichtig trekt ze hem uit.
Lot kijkt met grote ogen naar de hand van buurvrouw
Erica.
Het is geen echte hand.
Het is een hand van plastic.
Haar ogen schieten naar de andere hand van de
buurvrouw.
'Is die ook ...?'
Buurvrouw Erica ziet Lots blik.
Ze schudt haar hoofd.
'Dat is een gewone hand,' zegt ze en ze trekt haar
handschoen uit.
'Het is zo gek om aan één hand een handschoen te
hebben.
Daarom doe ik ze allebei aan, snap je?'
Lot knikt.
Natuurlijk snapt ze dat.

Buurvrouw Erica steekt de hand uit.
'Wil je hem even voelen?
Geef maar een hand.'
Lot aarzelt even, maar dan legt ze haar hand in de
plastic vingers.
'Ik kan ze ook bewegen,' zegt buurvrouw Erica.

Lot kijkt haar ongelovig aan.

'Echt waar?'

Buurvrouw Erica trekt de mouw van haar trui omhoog.

Nu kan Lot haar blote arm zien.

Aan het uiteinde van de arm zit de nephand.

'Kijk, ik span de spieren van mijn arm aan.'

Lot kijkt met grote ogen naar de hand.

De vingers bewegen en de hand knijpt zacht in Lots hand.

Lot lacht.

Dat is knap.

Lot denkt na.

Eigenlijk is zo'n **kunsthand** helemaal niet eng.

Tenminste niet als je weet dat het een kunsthand is.

Lot kijkt buurvrouw Erica vragend aan.

'Is er iets?' vraagt ze.

'Ja,' zegt Lot.

'Ik snap niet waarom u het niet meteen gezegd hebt.

Als ik het had geweten, had ik u ook niet eng gevonden.'

Buurvrouw Erica lacht hardop.

'Je hebt gelijk.

Het is soms beter om iets te weten.

Maar je hoeft ook niet alles meteen aan iedereen te vertellen, toch?'

Lot knikt nadenkend.

Dat is waar.

Sommige dingen hoeft niet iedereen te weten.

Ze houdt ook liever geheim dat ze Willem leuk vindt.

11. Een onderwerp!

Het is maandagochtend; Lot zit in de klas.
Op het bord staat met grote letters: *onderwerp?*
Vandaag moet iedereen het onderwerp van zijn
spreekbeurt opgeven.
Anders kiest de meester een onderwerp.
De meeste kinderen weten het al.
Maud gaat het over de fiets doen.
En Merel over Parijs.
'En weet jij het al?' vraagt Willem.
Hij trekt plagerig aan Lots haar.
Lot kijkt geheimzinnig naar Willem.
Maar ze zegt niks.
'Zo,' zegt meester Jaap als hij de klas binnenkomt.
In zijn handen heeft hij een paar boeken.
De meester loopt direct naar Lots tafeltje en legt de
boeken neer.
De Vikingen, leest Lot op het bovenste boek.
Zuchtend kijkt ze naar de meester.
'Niet zo zuchten,' lacht meester Jaap.
'Wees blij dat je goede, oude meester een onderwerp
voor je bedenkt.
En ook nog boeken voor je meeneemt.'
Meester Jaap kijkt opgewekt de klas rond.
'Verder weet iedereen waar hij over wil vertellen, toch?'
De klas **joelt** van ja.

Lachend loopt de meester naar zijn tafel.

Lot pakt de boeken van haar tafel en loopt ermee naar de meester.

Ze legt de boeken met een klap neer.

Meester Jaap kijkt haar vrolijk aan.

'Het is niet waar,' zegt hij.

'Het is niet waar!'

De meester wijst naar Willem.

'Ga jij eens snel de vlag halen, dan hangen we hem uit.

Lot heeft een onderwerp voor haar spreekbeurt.'

'Ha, ha, grappig, maar niet heus,' lacht Lot.

Meester Jaap stopt meteen met plagen.

'En nou wil ik het weten,' zegt hij.

'Wat is je onderwerp?'

'Het **bombardement** van Rotterdam,' zegt Lot.

Meester Jaap kijkt haar verrast aan.

'Dat was in de oorlog,' legt Lot uit, 'in 1940.'

Meester Jaap knikt.

'Ja, dat weet ik, maar hoe kom je daar zo bij?'

'Gewoon,' zegt Lot, 'daar wil ik meer over weten.

En dat heb ik niet met de Vikingen.'

Meester Jaap schiet in de lach.

'Oké, dat is een goede reden.'

Hij maakt een aantekening in zijn agenda.

'Dan mag jij donderdag over een week.

Heb je genoeg informatie?' vraagt de meester.

Lot knikt.

Meer dan genoeg.

12. De spreekbeurt

Vandaag is de grote dag.
Vandaag moet Lot haar spreekbeurt houden.
Maar eerst is Willem aan de beurt.
Hij vertelt vol vuur over vulkanen.
Lot kan haar aandacht er moeilijk bij houden.
Niet alleen omdat ze niks om vulkanen geeft.
Ze is nerveus omdat ze straks zelf moet.
Als alles maar goed gaat.
Ze heeft het twee keer voor mama en papa gedaan.
Dus als het nou niet goed gaat, dan weet ze het niet
meer.

'Oké, prima; dat waren heel mooie plaatjes, Willem.'
Meester Jaap kijkt de klas rond.
'Zijn er geen vragen meer?'
De ogen van de meester blijven op Lot rusten.
'Jij ook niet?'
Lot schudt haar hoofd.
'Kom dan maar naar voren, dan mag jij.'
Met kloppend hart staat Lot voor de klas.
Haar stem trilt een beetje.
'Mijn spreekbeurt gaat over de oorlog.
En wat de oorlog met mensen kan doen.'
De klas is doodstil.
Er wordt niet meer gelachen.

'In 1940 begon in ons land de oorlog.'

Lot loopt naar de deur van de klas.

'Mijn buurvrouw Erica was toen een klein meisje.'

Lot doet de deur van de klas open.

Ze kijkt de gang in en wenkt.

Willem weet niet wat hij ziet, als buurvrouw Erica de klas in komt.

Lot ziet dat hij schrikt, maar ze gaat rustig verder.

'Dit is mijn buurvrouw Erica,' zegt Lot.

'Zij was erbij toen de bommen in Rotterdam vielen.

Ik ga haar vragen stellen.'

De klas luistert ademloos naar het verhaal van Erica.

Hoe eng het was toen de oorlog met Duitsland begon.

En van de bom op haar hand.

Alle kinderen hebben vragen en meester Jaap ook.

Buurvrouw Erica geeft geduldig antwoord.

En tot slot mag iedereen haar hand zien.

De klas vindt het spannend.

Helemaal als buurvrouw Erica Willem een hand geeft.

Willem lacht naar Lot.

De buurvrouw is gelukkig niet meer boos op hem.

Na afloop blijft de klas er maar over praten.

Iedereen vindt dat het nooit meer oorlog mag worden.

'Ik ben heel trots op jou,' zegt meester Jaap.

Lot glimlacht verlegen.

En dan holt ze samen met Willem naar huis.

Om Frankie uit te laten.

Lees ook de andere boeken uit deze serie.
Al deze boeken zijn ook als meelees- en
luisterboek verkrijgbaar.
Kijk voor meer informatie op *www.zwijsen.nl*

Serie 1

Bas redt het bos	*Monique van der Zanden*
Dat geld is voor mij!	*Riet Wille*
De brief in de fles	*Vivian den Hollander*
Draak in de hut	*Henk van Kerkwijk*
IJs	*Lieneke Dijkzeul*
Jacht op de Eindbaas	*Hans Kuyper*
Mijn beste vriend is een vuile rat	*Tais Teng*
Stomme oen!	*Selma Noort*

Serie 2

Alle ballen op Joerie!	*Hans Kuyper*
Dat moet ik zien!	*Selma Noort*
Een duik in het diepe	*Peter Vervloed*
Een tien voor taal?	*Henk Hokke*
Frank en Stijn lossen het op	*Annemarie Bon*
Help, pap is weg!	*Monique van der Zanden*
Het griezelfeest	*Dirk Nielandt*
Wie bouwt de mooiste hut?	*Vivian den Hollander*

Serie 3

1+1 = zeven	*Elisabeth Mollema*
De gesprongen snaar	*Els Hoebrechts*
Een rare agent	*Anke Kranendonk*
Een vreemd hotel	*Joke de Jonge*
Spook te koop	*Henk van Kerkwijk*
Wat zullen ze opkijken!	*Anneke Scholtens*
Wie kies je, Marijn?	*Lorna Minkman*
Wie wordt de winnaar?	*Peter Vervloed*

Serie 4

Brugpiepers	*Lorna Minkman*
De laatste trein	*Bies van Ede*
De tas	*Dirk Nielandt*
Een schat van een dief	*Anton van der Kolk*
En de winnaar is ...	*Elisabeth Mollema*
Het raadsel van de rode ruit	*Monique van der Zanden*
Superheld!	*Trude de Jong*
Vreemde smokkelaars	*Christel van Bourgondië*

Serie 5

Iedereen kijkt altijd zo!	*Anneke Scholtens*
Geklop op de muur	*Christel van Bourgondië*
Ontsnapt per ballon!	*Monique van der Zanden*
Bakker Boef	*Berdie Bartels*
De griezelwinkel	*Dirk Nielandt*
Witte Wolf	*Kristien Dieltiens*
Bang voor de buurvrouw	*Tamara Bos*
De verborgen kamer	*Bies van Ede*

Tips voor ouders

Gefeliciteerd!

Uw kind is dyslectisch en heeft dit boek uitgekozen om te gaan lezen. Dat is al een hele prestatie!

Want voor kinderen met dyslexie is lezen meestal niet leuk. Zij moeten veel meer en vaker oefenen om het lezen onder de knie te krijgen. En het lezen van boeken is voor hen moeilijker dan voor een gemiddelde lezer.

Wat kinderen met dyslexie helpt, is:

* **lezen, lezen en nog eens lezen!**

En dat is alleen maar leuk als ze:

* **leuke boeken lezen op een niveau dat voor hen geschikt is;**
* **mensen om zich heen hebben die begrip hebben voor hen.**

U, als ouders of begeleiders, kunt deze kinderen helpen door:

* **veel leuke verhalen voor te lezen;**
* **ze te laten luisteren naar luisterboeken (bijvoorbeeld de luister-cd's van Zoeklicht Dyslexie);**
* **het kind altijd aan te moedigen om te lezen en het kind te prijzen als het een boek aan het lezen is.**

Tip Begint uw kind aan het lezen van een nieuw boek? Bekijk samen even hoe de hoofdpersonen heten en waar het verhaal zich afspeelt. Dat maakt het lezen eenvoudiger.

Hoe werkt Zoeklicht Dyslexie?

1. Luister naar de introductie-cd en bekijk de eerste bladzijden van het boek. Op de cd worden de hoofdpersonen voorgesteld en worden de moeilijke woorden uit het verhaal voorgelezen.

2. Luister naar het eerste stukje van het verhaal dat op de introductie-cd wordt voorgelezen. Je weet dan al een beetje hoe het verhaal gaat en als het spannend wordt, ga je zelf verder met lezen.

3. Ga het verhaal nu lezen. Als je vetgedrukte woorden tegenkomt, weet je dat dat een moeilijk woord is dat op de flap staat. Blijven deze woorden heel moeilijk, luister dan nog een keer naar het eerste stukje van de introductie-cd waarop ze worden voorgelezen.

4. Alle boeken uit de serie Zoeklicht Dyslexie hebben een speciale letter voor dyslectische kinderen. Zo wordt het lezen nog fijner.

Weetje Dyslectische kinderen hebben vaak moeite met taken die uit verschillende onderdelen bestaan, terwijl het uitvoeren van de taken afzonderlijk geen problemen oplevert. Geef dyslectische kinderen dus bij voorkeur enkelvoudige opdrachten.

Ook verkrijgbaar: Zoeklicht Dyslexie meelees- en luisterboeken

Op de meelees- en luister-cd's wordt het hele verhaal voorgelezen. Op de meelees-cd's gebeurt dat in een langzaam tempo zodat het kind het verhaal zelf mee kan lezen in het boek. Op deze manier wordt het lezen geoefend.
Op de luister-cd's wordt het hele verhaal door de schrijver voorgelezen. Heerlijk om je zonder inspanning te kunnen concentreren op de inhoud van het verhaal. Zo wordt het plezier in lezen behouden.

Naam: *Tamara Bos*

Ik woon met: *Johan (44), Guus (14), Lot (12) en Louis (8) en de poezen Rosa (6) en Monty (5)*

Dit doe ik het liefst: *schrijven, lezen, softballen, knuffelen, films kijken en films maken.*

Dit eet ik het liefst: *Thais, Indisch en Italiaans.*

Het leukste boek vind ik: *'Samen op het eiland Zeekraai' van Astrid Lindgren.*

Mijn grootste wens is: *dat het eindelijk wat eerlijker verdeeld wordt in de wereld, en dat het oorlog voeren dan vanzelf stopt.*

Naam: *Gertie Jaquet*

Ik woon met: *Gijs en dochter Maria en een goudvis in een poort in Amsterdam.*

Dit doe ik het liefst: *in Rome rondlopen en een lekker ijsje kopen.*

Dit eet ik het liefst: *een verse witte boterham met dik roomboter en hagelslag.*

Het leukste boek vind ik: *'5 jongens en 5 olifanten' van Jiri Trnka.*

Mijn grootste wens is: *dat al mijn wensen uitkomen!*